Seattle
Wir sind ein Teil der Erde

Walter-Verlag
Olten und Freiburg i. Brsg.

Wir sind ein Teil der Erde

Die Rede
des Häuptlings Seattle
an den Präsidenten
der Vereinigten Staaten
von Amerika
im Jahre 1855

Meine Worte sind wie Sterne…

Der Staat Washington, im Nordwesten der USA, war die Heimat der Duwamish, eines Volkes, das sich — wie alle Indianer — als einen Teil der Natur betrachtete, ihr Respekt und Ehrerbietung erwies und seit Generationen mit ihr in Harmonie lebte.

Im Jahre 1855 machte der 14. Präsident der Vereinigten Staaten, der Demokrat Franklin Pierce, den Duwamish das Angebot, ihr Land weißen Siedlern zu verkaufen; sie selbst sollten in ein Reservat ziehen.

Die Indianer verstanden das nicht. Wie kann man Land kaufen und verkaufen? Nach ihrer Vorstellung kann der Mensch die Erde nicht besitzen, so wenig, wie er den

Himmel, die Frische der Luft oder das Glitzern des Wassers besitzen kann.

Chief Seattle, der Häuptling der Duwamish, antwortete dem «großen Häuptling der Weißen» auf dessen Angebot mit einer Rede, deren Weisheit, Kritik und bescheidene Hoffnung uns heute, fast 130 Jahre später, mehr denn je betrifft und betroffen macht.

«Meine Worte sind wie Sterne, sie gehen nicht unter», sagte Chief Seattle.

Sein Volk hat nicht überlebt, seine Worte wurden nicht gehört.

Werden wir sie hören? Werden wir überleben?

Die Rede

Der große Häuptling in Washington sendet Nachricht, daß er unser Land zu kaufen wünscht.

Der große Häuptling sendet uns auch Worte der Freundschaft und des guten Willens. Das ist freundlich von ihm, denn wir wissen, er bedarf unserer Freundschaft nicht. Aber wir werden sein Angebot bedenken, denn wir wissen – wenn wir nicht verkaufen – kommt vielleicht der weiße Mann mit Gewehren und nimmt sich unser Land. Wie kann man den Himmel kaufen oder verkaufen – oder die Wärme der Erde? Diese Vorstellung ist uns fremd.

8

Wenn wir die Frische der Luft und das Glitzern des Wassers nicht besitzen – wie könnt Ihr sie von uns kaufen?
Wir werden unsere Entscheidung treffen.

Was Häuptling Seattle sagt, darauf kann sich der große Häuptling in Washington verlassen, so sicher wie sich unser weißer Bruder auf die Wiederkehr der Jahreszeiten verlassen kann.

Meine Worte sind wie die Sterne, sie gehen nicht unter. Jeder Teil dieser Erde ist meinem Volk heilig, jede glitzernde Tannennadel, jeder sandige Strand, jeder Nebel in

den dunklen Wäldern, jede
Lichtung, jedes summende
Insekt ist heilig, in den
Gedanken und Erfahrungen
meines Volkes. Der Saft, der in
den Bäumen steigt, trägt die
Erinnerung des roten Mannes.

Die Toten der Weißen
vergessen das Land ihrer
Geburt, wenn sie fortgehen,
um unter den Sternen zu
wandeln.
Unsere Toten vergessen diese
wunderbare Erde nie, denn sie
ist des roten Mannes Mutter.
Wir sind ein Teil der Erde, und
sie ist ein Teil von uns.
Die duftenden Blumen sind
unsere Schwestern, die Rehe,
das Pferd, der große Adler –

sind unsere Brüder.
Die felsigen Höhen, die
saftigen Wiesen, die
Körperwärme des Ponys – und
des Menschen – sie alle
gehören zur gleichen Familie.

Wenn also der große
Häuptling in Washington uns
Nachricht sendet, daß er unser
Land zu kaufen gedenkt – so
verlangt er viel von uns.
Der große Häuptling teilt uns
mit, daß er uns einen Platz
gibt, wo wir angenehm und für
uns leben können. Er wird
unser Vater und wir werden
seine Kinder sein. Aber kann
das jemals sein? Gott liebt
Euer Volk und hat seine roten
Kinder verlassen. Er schickt

Maschinen, um dem weißen Mann bei seiner Arbeit zu helfen, und baut große Dörfer für ihn. Er macht Euer Volk stärker, Tag für Tag. Bald werdet Ihr das Land überfluten wie Flüsse, die die Schluchten hinabstürzen nach einem unerwarteten Regen.

Mein Volk ist wie eine ablaufende Flut – aber ohne Wiederkehr. Nein, wir sind verschiedene Rassen. Unsere Kinder spielen nicht zusammen, und unsere Alten erzählen nicht die gleichen Geschichten. Gott ist Euch gut gesinnt, und wir sind Waisen. Wir werden Euer Angebot, unser Land zu kaufen, bedenken. Das wird nicht leicht sein, denn dieses Land ist uns heilig.

Wir erfreuen uns an diesen Wäldern. Ich weiß nicht – unsere Art ist anders als die Eure.

Glänzendes Wasser, das sich in Bächen und Flüssen bewegt, ist nicht nur Wasser – sondern das Blut unserer Vorfahren. Wenn wir Euch das Land verkaufen, müßt Ihr wissen, daß es heilig ist, und Eure Kinder lehren, daß es heilig ist und daß jede flüchtige Spiegelung im klaren Wasser der Seen von Ereignissen und Überlieferungen aus dem

Leben meines Volkes erzählt. Das Murmeln des Wassers ist die Stimme meiner Vorväter. Die Flüsse sind unsere Brüder – sie stillen unseren Durst. Die Flüsse tragen unsere Kanus und nähren unsere Kinder.

Wenn wir unser Land verkaufen, so müßt Ihr Euch daran erinnern und Eure Kinder lehren: Die Flüsse sind unsere Brüder – und Eure –, und Ihr müßt von nun an den Flüssen Eure Güte geben, so wie jedem anderen Bruder auch. Der rote Mann zog sich immer zurück vor dem eindringenden weißen Mann – so wie der Frühnebel in den Bergen vor der Morgensonne weicht. Aber die Asche unserer Väter ist heilig, ihre Gräber sind geweihter Boden, und so sind diese Hügel, diese Bäume, dieser Teil der Erde uns geweiht. Wir wissen, daß der weiße Mann unsere Art nicht versteht. Ein Teil des Landes ist ihm gleich jedem anderen, denn er ist ein Fremder, der kommt in der Nacht und nimmt von der Erde, was immer er braucht. Die Erde ist sein Bruder nicht, sondern Feind, und wenn er sie erobert hat, schreitet er weiter. Er läßt die Gräber seiner Väter zurück – und kümmert sich nicht. Er stiehlt die Erde von seinen Kindern – und kümmert sich nicht. Seiner Väter Gräber

und seiner Kinder
Geburtsrecht sind vergessen.
Er behandelt seine Mutter, die
Erde, und seinen Bruder, den
Himmel, wie Dinge zum
Kaufen und Plündern, zum
Verkaufen wie Schafe oder
glänzende Perlen. Sein
Hunger wird die Erde
verschlingen und nichts
zurücklassen als eine Wüste.

Ich weiß nicht – unsere Art ist
anders als die Eure. Der Anblick
Eurer Städte schmerzt die Augen
des roten Mannes. Vielleicht,
weil der rote Mann ein Wilder
ist und nicht versteht.

Es gibt keine Stille in den
Städten der Weißen. Keinen

Ort, um das Entfalten der
Blätter im Frühling zu hören
oder das Summen der
Insekten.
Aber vielleicht nur deshalb,
weil ich ein Wilder bin und
nicht verstehe. Das
Geklappere scheint unsere
Ohren nur zu beleidigen. Was
gibt es schon im Leben, wenn
man nicht den einsamen
Schrei des Ziegenmelkervogels
hören kann, oder das Gestreite
der Frösche am Teich bei
Nacht? Ich bin ein roter Mann
und verstehe das nicht. Der
Indianer mag das sanfte
Geräusch des Windes, der über
eine Teichfläche streicht – und
den Geruch des Windes,
gereinigt vom Mittagsregen

oder schwer vom Duft der
Kiefern. Die Luft ist kostbar
für den roten Mann – denn
alle Dinge teilen denselben
Atem – das Tier, der Baum,
der Mensch – sie alle teilen
denselben Atem. Der weiße
Mann scheint die Luft, die er
atmet, nicht zu bemerken; wie
ein Mann, der seit vielen
Tagen stirbt, ist er abgestumpft
gegen den Gestank. Aber wenn
wir Euch unser Land
verkaufen, dürft Ihr nicht
vergessen, daß die Luft uns
kostbar ist – daß die Luft ihren
Geist teilt mit all dem Leben,
das sie enthält. Der Wind gab
unseren Vätern den ersten
Atem und empfängt ihren
letzten. Und der Wind muß

auch unseren Kindern den Lebensgeist geben. Und wenn wir euch unser Land verkaufen, so müßt Ihr es als ein besonderes und geweihtes schätzen, als einen Ort, wo auch der weiße Mann spürt, daß der Wind süß duftet von den Wiesenblumen.

Das Ansinnen, unser Land zu kaufen, werden wir bedenken, und wenn wir uns entschließen anzunehmen, so nur unter einer Bedingung. Der weiße Mann muß die Tiere des Landes behandeln wie seine Brüder.

Ich bin ein Wilder und verstehe es nicht anders. Ich habe tausend verrottende

Büffel gesehen, vom weißen Mann zurückgelassen – erschossen aus einem vorüberfahrenden Zug. Ich bin ein Wilder und kann nicht verstehen, wie das qualmende Eisenpferd wichtiger sein soll als der Büffel, den wir nur töten, um am Leben zu bleiben. Was ist der Mensch ohne die Tiere? Wären alle Tiere fort, so stürbe der Mensch an großer Einsamkeit des Geistes. Was immer den Tieren geschieht – geschieht bald auch den Menschen. Alle Dinge sind miteinander verbunden.

Was die Erde befällt, befällt auch die Söhne der Erde.

Ihr müßt Eure Kinder lehren,
daß der Boden unter ihren
Füßen die Asche unserer
Großväter ist. Damit sie das
Land achten, erzählt ihnen,
daß die Erde erfüllt ist von den
Seelen unserer Vorfahren.
Lehrt Eure Kinder, was wir
unsere Kinder lehren: Die
Erde ist unsere Mutter. Was
die Erde befällt, befällt auch
die Söhne der Erde. Wenn
Menschen auf die Erde
spucken, bespeien sie sich
selbst. Denn das wissen wir, die
Erde gehört nicht den
Menschen, der Mensch gehört
zur Erde – das wissen wir.
Alles ist miteinander
verbunden, wie das Blut, das
eine Familie vereint. Alles ist

verbunden. Was die Erde befällt, befällt auch die Söhne der Erde. Der Mensch schuf nicht das Gewebe des Lebens, er ist darin nur eine Faser. Was immer Ihr dem Gewebe antut, das tut Ihr Euch selber an. Nein, Tag und Nacht können nicht zusammenleben. Unsere Toten leben fort in den süßen Flüssen der Erde, kehren wieder mit des Frühlings leisem Schritt, und es ist ihre Seele im Wind, der die Oberfläche der Teiche kräuselt.

Das Ansinnen des weißen Mannes, unser Land zu kaufen, werden wir bedenken. Aber mein Volk fragt, was

denn will der weiße Mann?
Wie kann man den Himmel
oder die Wärme der Erde
kaufen – oder die Schnelligkeit
der Antilope? Wie können wir
Euch diese Dinge verkaufen –
und wie könnt Ihr sie kaufen?
Könnt Ihr denn mit der Erde
tun, was Ihr wollt – nur weil
der rote Mann ein Stück
Papier unterzeichnet – und es
dem weißen Manne gibt?
Wenn wir nicht die Frische der
Luft und das Glitzern des
Wassers besitzen – wie könnt
Ihr sie von uns kaufen? Könnt
Ihr die Büffel zurückkaufen,
wenn der letzte getötet ist?

Wir werden Euer Angebot
bedenken. Wir wissen, wenn

wir nicht verkaufen, kommt
wahrscheinlich der weiße
Mann mit Waffen und nimmt
sich unser Land. Aber wir sind
Wilde. Der weiße Mann,
vorübergehend im Besitz der
Macht, glaubt, er sei schon
Gott – dem die Erde gehört.
Wie kann ein Mensch seine
Mutter besitzen?

Wir werden Euer Angebot,
unser Land zu kaufen,
bedenken, Tag und Nacht
können nicht zusammenleben
– wir werden Euer Angebot
bedenken, in das Reservat zu
gehen. Wir werden abseits und
in Frieden leben. Es ist
unwichtig, wo wir den Rest
unserer Tage verbringen.

Unsere Kinder sahen ihre Väter gedemütigt und besiegt. Unsere Krieger wurden beschämt. Nach Niederlagen verbringen sie ihre Tage müßig – vergiften ihren Körper mit süßer Speise und starkem Trunk.

Es ist unwichtig, wo wir den Rest unserer Tage verbringen. Es sind nicht mehr viele. Noch wenige Stunden, ein paar Winter – und kein Kind der großen Stämme, die einst in diesem Land lebten oder jetzt in kleinen Gruppen durch die Wälder streifen, wird mehr übrig sein, um an den Gräbern eines Volkes zu trauern – das einst so stark und voller Hoffnung war wie das Eure.

Aber warum soll ich trauern
über den Untergang meines
Volkes, Völker bestehen aus
Menschen – nichts anderem.
Menschen kommen und gehen
wie die Wellen im Meer.
Selbst der weiße Mann, dessen
Gott mit ihm wandelt und
redet, wie Freund zu Freund,
kann der gemeinsamen
Bestimmung nicht entgehen.
Vielleicht sind wir doch –
Brüder. Wir werden sehen.

Eines wissen wir, was der
weiße Mann vielleicht eines
Tages erst entdeckt – unser
Gott ist derselbe Gott.
Ihr denkt vielleicht, daß Ihr
ihn besitzt – so wie Ihr unser
Land zu besitzen trachtet –

aber das könnt Ihr nicht. Er ist
der Gott der Menschen –
gleichermaßen der Roten und
der Weißen. Dieses Land ist
ihm wertvoll – und die Erde
verletzen heißt ihren Schöpfer
verachten.

Auch die Weißen werden
vergehen, eher vielleicht als
alle anderen Stämme. Fahret
fort, Euer Bett zu verseuchen,
und eines Nachts werdet Ihr
im eigenen Abfall ersticken.
Aber in Eurem Untergang
werdet ihr hell strahlen –
angefeuert von der Stärke des
Gottes, der Euch in dieses
Land brachte – und Euch
bestimmte, über dieses Land
und den roten Mann zu

herrschen. Diese Bestimmung
ist uns ein Rätsel. Wenn die
Büffel alle geschlachtet sind –
die wilden Pferde gezähmt –
die heimlichen Winkel des
Waldes, schwer vom Geruch
vieler Menschen – und der
Anblick reifer Hügel
geschändet von redenden
Drähten – wo ist das Dickicht
– fort, wo der Adler – fort,
und was bedeutet es, Lebewohl
zu sagen dem schnellen Pony
und der Jagd:

Das Ende des Lebens – und
den Beginn des Überlebens.
Gott gab Euch Herrschaft über
die Tiere, die Wälder und den
roten Mann, aus einem
besonderen Grund – doch

dieser Grund ist uns ein Rätsel. Vielleicht könnten wir es verstehen, wenn wir wüßten, wovon der weiße Mann träumt – welche Hoffnungen er seinen Kindern an langen Winterabenden schildert – und welche Visionen er in ihre Vorstellungen brennt, so daß sie sich nach einem Morgen sehnen. Aber wir sind Wilde – die Träume des weißen Mannes sind uns verborgen. Und weil sie uns verborgen sind, werden wir unsere eigenen Wege gehen. Denn vor allem schätzen wir das Recht eines jeden Menschen, so zu leben, wie er selber es wünscht – gleich wie verschieden von seinen Brüdern er ist.

Das ist nicht viel, was uns verbindet.

Wir werden Euer Angebot bedenken. Wenn wir zustimmen, so nur, um das Reservat zu sichern, das ihr versprochen habt. Dort vielleicht können wir unsere kurzen Tage auf unsere Weise verbringen.

Wenn der letzte rote Mann von dieser Erde gewichen ist und sein Gedächtnis nur noch der Schatten einer Wolke über der Prärie, wird immer noch der Geist meiner Väter in diesen Ufern und diesen Wäldern lebendig sein. Denn sie liebten diese Erde, wie das

Neugeborene den Herzschlag
seiner Mutter.

Wenn wir Euch unser Land
verkaufen, liebt es, so wie wir
es liebten, kümmert Euch, so
wie wir uns kümmerten,
behaltet die Erinnerung an das
Land, so wie es ist, wenn Ihr es
nehmt. Und mit all Eurer
Stärke, Eurem Geist, Eurem
Herzen, erhaltet es für Eure
Kinder und liebt es – so wie
Gott uns alle liebt.

Denn eines wissen wir – unser
Gott ist derselbe Gott. Diese
Erde ist ihm heilig. Selbst der
weiße Mann kann der
gemeinsamen Bestimmung
nicht entgehen. Vielleicht sind
wir doch – Brüder. Wir werden
sehen.

Der Wortlaut dieser Ausgabe basiert auf dem Text zum amerikanischen Dokumentarfilm «Home», dessen deutschsprachige Version die Landeszentrale für politische Bildung im Auftrag des Ministers für Wissenschaft und Forschung des Landes Nordrhein-Westfalen verleiht und dem die Rede des Häuptlings Seattle zugrunde liegt. Die Übersetzung besorgte die Dedo Weigert Film GmbH, München. Die Fotos stammen vom Autor des im Walter-Verlag erschienenen Buches «Indianer», Heinrich Gohl.

18. Auflage 1988

ISBN 3-530-81051-7

Titu Kusi Yupanki
Die Erschütterung der Welt
Ein Inkakönig berichtet über den Kampf
gegen die Spanier
Herausgegeben, mit einer Einführung
versehen und aus dem Spanischen übersetzt
von Martin Lienhard
175 Seiten mit 12 Zeichnungen im Text.
Leinen

Dieser an den spanischen König Philipp II.
gerichtete, geharnischte Brief eines Indios ist
ein einzigartiges Dokument über den
Überlebenskampf der Inka-Dynastie im
16. Jahrhundert.

Walter-Verlag

Frank Hamilton Cushing
Ein weißer Indianer
Herausgegeben von Holger Kalweit
Aus dem Amerikanischen übersetzt
von Amelie Schenk
267 Seiten mit 26 Abbildungen. Leinen

«Ein weißer Indianer» ist die Geschichte
eines Mannes mit zwei Leben – er dokumentierte
die Überlieferungen einer archaischen
Pueblo-Kultur ebenso wie seinen einmaligen
Aufstieg in die Priesterschaft des Bogens,
einen geheimen Orden von Krieger-Magiern.
*«Ein Muß für alle, die speziell an indianischer
Ethnologie interessiert sind.»* Tagesanzeiger Zürich

Walter-Verlag